MW00769223

Valentía II

Kelbin
Torres

VENADO REAL

Valentía II
© 2023, Kelbin Torres

© de esta edición:
Ediciones Venado Real
edicionesvenadoreal@gmail.com

Segunda edición: agosto de 2023

ISBN: 978-9915-9599-1-7

Dirección editorial y corrección: Juliana Del Pópolo
Diseño de tapa e interior: H. Kramer
Ilustraciones: Patricia León

Ilustraciones por
Patricia León

*Este libro va para todos aquellos corazones heridos
y cansados que alguna vez han pensado en rendirse.*

Prólogo

26 de julio del 2023
San José de Mayo, Uruguay

Corría el año dos mil veinte, ese año en el que millones de planes se truncaron, los abrazos se pausaron y la vida, tal y como la conocíamos, se puso en modo espera.

Sin embargo, tal vez para hacerle frente a las endurecidas manecillas del reloj, había partes de nosotros que, en vez de frenar, ansiaban movimiento. El amor fue una, claro está, las ganas, otra.

Era fines de octubre cuando un autor que estaba dejando una gran huella en el corazón de muchos de sus lectores me pidió que fuera la prologuista de su libro. El honor me invadió; prologar el primer libro de Kelbin parecía surreal.

Mi abuela siempre fue de saber y recordar todo, detalle a detalle, memoria de elefante le decían; y siempre me pregunté si realmente los elefantes recuerdan así, en cantidades inconmensurables y con tanto amor. En cada videollamada la ponía al día sobre mis proyectos, ella me escuchaba con su infinita paz.

El lunes dieciséis de noviembre en la mañana, en una llamada telefónica con mi abuela, me preguntó: «¿Cómo va el prólogo del autor de Honduras?». Así de mucho sabía y recordaba. Lo que yo no sabía es que aquella sería nuestra última conversación, porque esa misma noche se iría a encontrarse con la vida eterna.

Es por eso que siento un vínculo indeleble y lleno de luz cuando pienso en *Valentía*. En un momento de extrema tristeza y vulnerabilidad, los poemas de Kelbin me acompañaron; y no solo eso, sino que me hicieron encontrar mi valentía para transitar uno de los dolores más grandes de mi vida.

Aquí voy de nuevo…

Así empieza este nuevo libro, una suerte de promesa que se versifica y, como no puede ser de otra manera, nos vuelve a abrazar.

Es asombrosa la manera en que cada palabra se mete por debajo de la piel y llega al corazón, y lo entibia. Porque hay veces en que no tenemos idea de lo fuertes que somos hasta que llega ese instante en que todo se desmorona.

Leer las ganas, el amor y la vitalidad de Kelbin es ese empujón que muchas veces necesitamos para encontrarnos con nuestras propias ganas, y amor y vitalidad.

Necesito perdonar y perdonarme se vuelve mantra y es que llega un punto de la vida en que viajar ligeros de alma y solo con los buenos recuerdos a cuestas es lo que elegimos.

Hay que ser valiente para desterrar lo que no suma, lo que oscurece, lo que duele, lo que envenena.

Gracias, Kelbin, por ser valiente y abrazarnos con esa valentía.

Juliana Del Pópolo

Suficientes heridas tienen los demás
como para sentarme a esperar
que alguien venga a curarme las mías.
Yo solito puedo.

Aquí voy de nuevo.

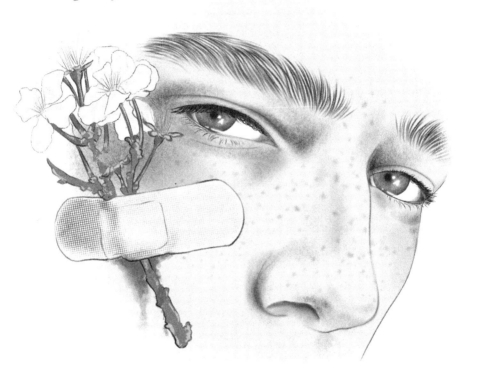

Del infierno al cielo

No voy a mentir, ha sido difícil
llegar hasta aquí.
He tenido que pasar
por muchos infiernos
para poder probar
un pedacito de cielo.

Y no me arrepiento,
no me quejo ni me lamento
porque, aunque mi alma
ha sido mil veces mutilada,
es preferible vivir
que nunca
haber sentido nada.

Serena y paciente

Nada es más imponente
que ver a una mujer inteligente
que sabe lo que quiere,
sin importar lo que piensan los demás.
Nada más imponente
que verla caminar sonriente,
serena y paciente,
hacia su inevitable libertad.

Un amor así

Uno se cansa de las promesas sin vida
y de los besos sin alma.
Entonces,
dan ganas de un amor honesto,
libre de excusas baratas;
un amor lleno de poesía,
de locura
y de calma.

Perdonar y perdonarme

Necesito perdonar y perdonarme,
quitarme este enjambre de dudas
que explotan en mi cabeza
y salir a pelear
con las fuerzas que me quedan.

Necesito echar todas mis decepciones
trituradas al viento
y darme la oportunidad
de seguir viviendo.

No puedo dejar
que me haga pedazos la tristeza
solo porque cometo errores
como cualquiera.

Necesito perdonar y perdonarme,
dejar que se vayan esos rencores
que me tienen el corazón deshecho
y procurar amarme como nadie jamás
lo ha hecho.

Necesito hacerlo.
Ya viví demasiado tiempo en el pasado,
ya me culpé por cosas
de las que nunca fui culpable.
Necesito perdonar
y perdonarme.

Algo extraño

Algo extraño me ha sucedido que ahora,
por ningún motivo,
intento detener al que quiere irse.
Mis lágrimas las cuido,
he entendido que
los que hieren no las merecen.
Me estoy llevando bien con el tiempo
y también con mi mente.
Algo extraño me ha sucedido,
que me siento más a salvo conmigo
que con la gente.

XXVIII

Con algunos amores me quité la ropa,
con muy pocos me desnudé por completo.

Sanarás

Tus heridas cerrarán,
en algún momento
se te agitarán los recuerdos,
sentirás que ya no puedes más…
pero lo vas a lograr.

Se vendrá el mundo abajo
y lo cotidiano te dolerá,
llorarás por mucho tiempo,
eso es parte del proceso.

Tus heridas cerrarán
y te volverás inmensamente valiente;
**tu sonrisa será la más grande,
sanarás para siempre.**

La promesa

Hay días en los que me gana
el pesimismo,
pero recuerdo que me tengo a mí mismo
y pienso en todas esas batallas
de las que logré recuperarme,
y eso me da la fuerza
 para no abandonarme.

Y es que hay días en los que me siento
como un cero a la izquierda
y no encuentro la manera de salvarme,
pero llevo conmigo aquella promesa
de **no volver a derrumbarme.**

me prometo

No

No mires atrás,
no le contestes las llamadas.
No caigas otra vez
en sus promesas vanas.
No le permitas entrar de nuevo,
ya tuvo su tiempo.
No regreses, ahí no hay nada
que se pueda rescatar.

Sigue tu camino, busca tu libertad.

No es la primera vez

No voy a desistir por situaciones
que todavía no logro comprender.
Me queda claro que la vida
puede llegar a ser muy cruel,
pero es mejor disfrutar de las heridas
y dejar de preguntarse tonterías.

Y, aunque hay días como este
en los que siento morir,
también **sé que puedo resistir.**

No es la primera vez
que me abruma tanta decepción.

No es la primera vez
que me levanto en medio
de mi *destrucción.*

Desahogo

Sin duda, yo también he llorado
hasta quedarme dormido,
me he enamorado
y no me han correspondido.
He fallado como no tienes idea,
me he contaminado
de inevitable tristeza.

Muchas veces he sido un cobarde,
he besado los labios equivocados,
he brindado falsas esperanzas,
he roto corazones,
he dedicado unas cuantas canciones.

A pesar de los años,
uno aprende con los daños.
Hoy perdono y me han perdonado.
Sigo cayendo y me sigo levantando.

**Me hice amigo de los días:
todo es parte de la vida.**

XXIX

Y todo lo que recuerdo
es que me estaba muriendo por dentro.
Lloré días enteros hasta quedarme seco,
pero, a pesar de aquel desastre,
mi corazón seguía latiendo.
Entonces, puse de mi parte
hasta que un día dejé de sentirme cobarde
y aprendí a soltar
lo que ya no podía quedarse.

Amor de luna

Se me encendía la vida
cada vez que me decía que me quería.
De repente, todo cambió
y me hizo creer que el culpable era yo.
Se me vino el universo encima
cuando supe que tenía a alguien más.

¿Es tan difícil hablar con la verdad?

Seguí mi camino
como lo hacen los valientes,
me costó un montón de lunas curarme,
pero de amor nadie se muere.

Abrazando la soledad

Ahora que se conoce,
reconoce que no necesita a nadie
para sentirse querida.
Y no es que esté peleada con la vida,
es que así vive más tranquila.
Si el amor le brinda
una nueva oportunidad,
ya lo pensará.
Por lo pronto,
prefiere quedarse
con su soledad.

Despacio

Solamente Dios sabe
todo lo que me ha costado recuperarme.
Por eso, si me ves tan esquivo,
solo estoy intentando cuidarme.
Y es que tengo un corazón
que se emociona con facilidad,
pero, a pesar de su terquedad,
estoy aprendiendo a controlarlo.

**Por el bien de los dos,
es mejor irnos despacio.**

Refugio

Te ves muy bien, pero no lo estás.
Te comprendo porque a mí también
me ha tocado esconder mi realidad.
Me pasa muy a menudo,
me refugio en mi mundo
para no tener que declarar ante los jueces.

**Es mejor romperse
sin que nadie lo sepa.**
                    **Es mejor caerse
sin que nadie te vea.**

Ser valiente

Ser valiente es quedarse,
es amarrarse a ese alguien
con quien deseas que suceda lo mejor.

Es luchar ambos
para sostener esa relación,
para que no se evapore el amor.

Ser valiente es retirarse,
es irse cuando se pelea en vano,
cuando con palabras te dicen: «te amo»,
mientras sus acciones
te gritan lo contrario.

Catarsis

De vez en cuando
está permitido derrumbarse,
está permitido llorar hasta el cansancio,
hasta que tiemble el alma y los huesos,
hasta que la catarsis haga su efecto.

De vez en cuando
es necesario el silencio
para escuchar tu propia voz.

Desbaratarse por completo
para que se acomode el corazón.

El duelo

En aquella ocasión
alguien me dijo: «estarás bien»,
pero de ninguna manera
eso disminuyó mi dolor.
Cuando te sientes cuesta abajo
no hay palabras que consuelen el alma;
los recuerdos se hacen agua
y la vida se acomoda en tu espalda.

Tuve que vivir un duelo intenso,
entre el blanco y el negro,
para que aquellas palabras
cobraran sentido.

A mi tiempo, me fui reponiendo
y se desvanecieron los temores.
Ahora vivo con mi sonrisa en libertad
y entre destellos de colores.

Fue caro el precio que tuve que pagar,
pero sigo aquí.
Fue muy duro el duelo, pero lo vencí.
Valió la pena luchar por mí.

XXX

Que los días venideros
te sirvan para sanar,
para comenzar a procesar tu dolor
y que todos
los planetas se muevan a tu favor.

Que sigas fluyendo
hacia tu felicidad sin miedo,
y que, cuando menos te lo esperes,
vuelvas a sonreír de nuevo.

Ahí estaré

Te conozco y sé
que no te gusta exponerte,
yo te entiendo perfectamente,
te han herido tantas veces
que prefieres ser prudente.
Prefieres esconderte
mientras te rompes en pedazos.
Prefieres llorar a solas
en el silencio de tu cuarto.
Si la oscuridad te atormenta
y ya no sabes qué hacer,
por favor, no dudes en llamarme,
no importa si es temprano o tarde.

Ahí estaré para escucharte.
Ahí estaré para abrazarte.

¿Lo intentamos?

No quiero darle razones para amarme,
si usted quiere hacerlo, *hágalo*
Pero le advierto que mis besos
saben a poesía.
Tengo unos brazos
donde puede ser libre.
Mi corazón no admite rechazos
y no soy de esos que aman de a ratos.
Ya lo sé, soy un poco complicado,
pero si usted gusta, lo intentamos.

Después del adiós

La verdad es que de tanto besar el piso,
uno se vuelve distinto.
El corazón deteriorado
ya no permite más daño.
Uno se llena de valor
y ya no es tan difícil decir adiós.
Uno deja de desear el mal
y comienza a perdonar.
Entonces, las heridas comienzan a sanar.

Antifaz

Tengo la habilidad
de hacerle pensar a la gente
que les creo cuando me mienten.
Puedo hacerme el fuerte
y disfrazar el dolor cuando me hieren.
Soy capaz de disimular
como si nada me importara.

Puedo quedarme hoy
y desaparecer mañana.

Soltar

Desde que aprendí
a llevarme bien conmigo,
se me ha hecho más fácil desprenderme
de todo lo que me estorba.

Se incluyen desvelos innecesarios
y unas cuantas personas.

Soltar lo que te roba la calma
le hace bien al alma.

Ellos

Solo ellos se entendían,
no les importaba lo que decían.
Ellos se conocían desde los pies
hasta la coronilla,
desde el alma hasta la vida.
Se amaban a su manera,
entre virtudes y defectos.
Sin mentiras.
Sin secretos.

XXXI

Ya no tengo preguntas pendientes.
Hay corazones a los que,
aunque les entregues el alma,
nada les es suficiente.

Acuerdos fundamentales

Llegué a tres acuerdos conmigo:

1. Nunca más me quedaré
   en un lugar en donde
   no me sepan cuidar.

2. ¿Hacerme añicos por alguien
   a quien le doy igual?
   Eso está prohibido.

3. Le pondré más atención
   a mis latidos.

En medio de mi caos

Ahora estoy en ese tiempo
en el que ya no discuto,
en el que le hago frente a mis problemas
sin que nadie se dé cuenta.
Lo que piensen de mí
no me genera ningún interés,
**no soy de los que se alimentan
de la basura que otros echan.**
La verdad es que, en medio de mi caos,
siempre encuentro
un poco de tranquilidad,
la suficiente para que no me afecten
las opiniones de los demás.

He decidido estar solo

Sí, he decidido estar solo.
Necesito pensar en mí
y descubrir lo importante que soy,
darle gracias al pasado
y comenzar a vivir hoy.

Y no, no es que haya dejado
de creer en el amor,
es que cuando se deja
de respirar tranquilamente
se debe de tomar una decisión.

Sí, he decidido estar solo
y no porque sea un cobarde,
es que hace tiempo que no sonrío
y no quiero que se me haga tarde.

Ese momento

Llega ese momento
en el que te aceptas tal y como eres
y dejas a un lado las estupideces;
en el que aprendes a dar las gracias
por lo que has sufrido
y te quedas con todo lo bueno
que has vivido.
Llega ese momento
en el que logras llevarte bien contigo
y se vuelven más tranquilos
los domingos;
en el que llegas a amarte tanto
que no cualquiera
puede hacerte daño.

Sin apuros

Me queda claro que enamorarme
es mi última opción.
Cuando levantas paredes a tu alrededor,
no cualquiera derriba tus muros.
Y yo no me apuro,
ya lo hice una vez
y no me fue muy bien.
Voy lento, pero seguro.
A nadie le gusta perder.

XXXII

Hay cosas que, para ser sincero,
dejaron de interesarme.
Mi paz interior no es negociable.

Tu peor error

No creas que, porque siempre regresa,
te sigue amando como la primera vez.
Regresa porque todavía
no se ha dado cuenta
de lo especial que es.
No te sientas insuperable,
porque cada vez que le haces llorar
una parte de su corazón
deja de amarte.
Tu peor error es creer que te pertenece,
pero cuando menos te lo esperes,
se habrá ido para siempre.

Maravillosa

A mí me parece increíble tu vida,
atravesar tantas tormentas
y seguir tan regia,
con esa sonrisa tan tuya
que nunca pasa desapercibida,
con tu mirada tan sincera
y tus grandes expectativas.
Me gusta tu forma de ver las cosas,
eres maravillosa.
Puedes llorar toda la noche,
y por la mañana eres otra.

Frágil + fuerte

Después de llorar en exceso,
ahora está en el proceso de sanar.
Está buscando la manera
de salir adelante,
por ahora es lo único importante.
Va por buen camino,
está aprendiendo que ella
es la arquitecta de su destino.
Han bajado los ataques de ansiedad
y se lleva bien con su soledad.
Cuando una mujer se da cuenta
de lo que vale,
nada puede detenerla.
Quizás un día fue la más frágil,
pero hoy es la más fuerte.

Planes caducados

Tenemos que aceptarlo:
ya no somos felices
y estamos a tiempo
de no dejarnos más cicatrices.
Nuestros planes caducaron,
el amor se fue de nuestro lado,
no insistamos.

**Aquel «para siempre»
se ha terminado.**

El misterio de la vida

A veces pienso en aquellos
que se quedaron en el camino,
en los que ya no están conmigo.
Los que se fueron pronto
y sin previo aviso.
Sí, a veces siento la necesidad
de abrazarlos
y más cuando estoy abatido.
Quisiera contarles mis historias
y que vean en lo que me he convertido.
Ya no están y yo debo seguir mi camino,
con la esperanza de volver a verlos
algún día
y hasta ese entonces
descubrir el misterio de la vida.

Por completo

De muy pocas cosas presumo en la vida,
no seré el mejor amante que exista,
pero soy de los que se entregan
por completo.
Me gusta darme entero, sin reservas,
aunque no siempre reciba lo mismo.
Al final, a lo único que me limito
es a dejar huella:
la piel te la toca cualquiera;
el alma, solamente el que se entrega.

Conmigo

Acepto que todavía te extraño,
que te lloro de vez en cuando
y que después de tanto daño,
aún sigues aquí.
También acepto que debo dejarte ir,
que duele demasiado estar contigo.

Es mejor quedarme conmigo.

XXXIII

Tiene una forma peculiar
de lidiar con los problemas,
que no te sorprenda verle sonriente
como si nada le doliera.
Tiene un par de alas rotas
y los pies cansados de caminar,
tiene unas ganas inmensas de volar.
Está usando estos días para reflexionar,
está poniendo en orden sus sentimientos.

**Para esas cosas del amor
ahorita no tiene tiempo.**

Tempestades y recuerdos

Yo sé amar como muy pocos
saben hacerlo,
no he sido bien correspondido,
pero no me arrepiento.
Yo estoy hecho de tempestades,
de cicatrices que me hacen brillar;
yo estoy hecho de recuerdos
y de heridas que están por cerrar.

Nadie nace valiente

Tu indiferencia me rompe
cada día un poco más,
quisiera de una vez por todas
desprenderme de ti,
pero sigo aquí.
Sé que puedo vivir sin ti,
mas no es fácil aceptarlo;
sé que me dolerá el silencio,
sé que me dolerán los años.
Y, aunque nadie nace valiente,
sé que un día tendré
el valor suficiente para dejarte ir.

Pidiendo al cielo por ti

Le estoy pidiendo al cielo por ti,
para que salgas de toda esa tempestad
y que nunca más te enfermes de soledad.
Le estoy pidiendo al cielo por ti
para que ya no sabotees tu sonrisa,
para que se terminen
los simulacros de felicidad
y se conviertan en realidad.
Para que nunca te falten
las ganas de seguir
y cuando necesites un abrazo,
sepas adónde ir.
Le estoy pidiendo al cielo por ti.

Valentía II

La que no se rinde

Yo no sé muchas cosas,
pero de algo estoy seguro:
esa mujer que ves ahí
puede derribar cualquier muro.
Ella, la de planes ambiciosos
y risa escandalosa;
la que a veces amanece de mal humor;
la que ya no busca príncipes azules
ni de ningún otro color.
La que lleva en sus ojeras desvelos
y heridas;
la que se levantó
cuando todos creyeron
que no podría.

Sonrisa valiente

Es de esas mujeres
que todavía se enamoran,
pero cuando se da cuenta
de que hizo hasta lo imposible
y que llegó la hora de irse,
evita las demoras.
Nadie imaginaría
que detrás de esa sonrisa valiente
se esconde una niña insegura;
mostrarse dura ante la gente
es su forma de protegerse.

XXXIV

Es hora de poner las cartas sobre la mesa:
no puedes seguir permitiendo
que se burle de ti.
Es hora de que entiendas que estás aquí
para ser feliz.
No justifiques sus acciones.
No pongas atención
a sus absurdas explicaciones.
Eres tan especial. *Eres tan increíble.*

¿Acaso no te has dado cuenta
de que lloras
más de lo que sonríes?

Lo necesario

Puede ser que no estés pasando
por un buen momento;
a lo mejor te está ganando el sufrimiento.
No desesperes.
Todos hemos pasado por eso.
Llora lo que sea necesario.
No hagas caso a los números
en el calendario.
No te tomes a pecho
los malos comentarios
ni des por hecho que eres un fracasado.

**Todas esas aves que ves en el cielo
descansan en el suelo
antes de emprender el vuelo.**

Mi lucha

He tenido que decir adiós
mientras me llueve por dentro.
Me he tenido que guardar
muchas veces lo que siento.
He tenido que sonreír
para que no me hagan preguntas.
He tenido que callar
mientras me grita la duda.

Sin embargo, aquí sigo.

Cuesta mantenerse en pie,
cuesta confiar en uno mismo,
pero yo soy de esos que,
en medio de huracanes,
avalanchas y granizos,
no pierden el equilibrio.

He luchado tanto
por seguir en este camino
que, la verdad,
no me permito darme
por vencido.

Entre cuatro paredes

Nadie sabía lo destruido
que me sentía por dentro,
realmente no lo demostraba,
es que de tantos tropiezos
uno aprende a ser diferente,
lo aprendes de la misma gente.
Así que comencé a reunir
todos esos pedazos esparcidos
y me reparé a mí mismo.
Sin ruido ni sonrisas impostoras,
entre cuatro paredes,
en medio del silencio y lejos de la gente.

Instintos

Cuando se está tanto tiempo solo,
uno aprende a tolerarse.
Se desarrollan ciertos instintos
y ya no te desesperas como antes.
Te disfrutas de tal manera
que llega un momento
en el que no extrañas a nadie,
te vuelves más tranquilo
y dejas de complicarte.

XXXV

Y se le pasaban los días
buscando una fórmula
para no extrañar,
pero lo único que conseguía
era dañarse más.
Con el alma llena de heridas
tuvo que aprender a soltar,
era la única salida
para reconciliarse con su paz.

Veo en ti

Veo en ti a alguien con ganas de amar,
pero con miedo a fracasar;
un corazón noble y un tanto inocente;
un **alma preciosa,**
de esas
que ya no hay.

Alguien con grandes inseguridades
y con un dolor profundo,
pero con un deseo infinito
de comerse el mundo.

Veo en ti a alguien resiliente,
alguien que siempre busca
la manera de brillar,
alguien que, a pesar de todo,
nunca deja de luchar.

Valentía II

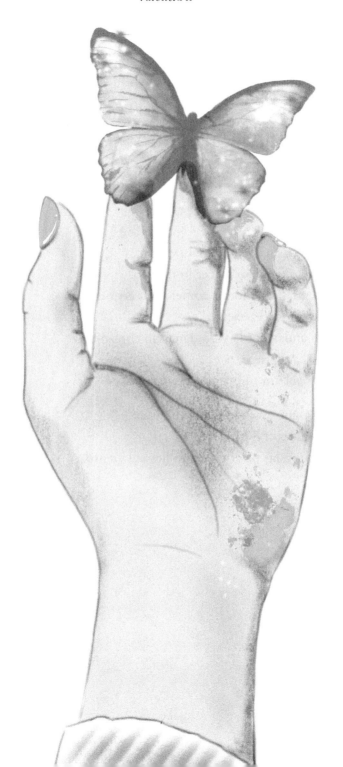

Bajo tu propio riesgo

¿Qué te hace pensar que ahora
todo será distinto?
Hay personas que piden perdón,
pero no dejan de hacer lo mismo.
Es verdad que todos cometemos errores,
pero eso no es excusa
para andar por la vida dañando corazones.
Si vas a regresar,
que sea bajo tu propio riesgo.

Ojalá que esta vez te demuestren
el amor con hechos
porque a las palabras se las lleva el viento.

No a cualquiera

Lo único que te queda es perdonar,
el daño está hecho y es irreversible,
de nada te sirve lastimarte más.
De nada te sirve preguntarte
«¿Por qué a mí?».
No le desees mal a nadie,
mejor concéntrate en ti.
Aquí lo importante
es que aprendiste la lección,
ahora sabes que no a cualquiera
se le entrega el corazón.

Cuidando el corazón

Una vez que nos rompen,
no volvemos a ser iguales,
no es tan fácil enamorarse.
Conocer gente no es primordial,
cancelamos las salidas,
preferimos el sofá.
Nos da pavor hablar de amor,
y, aunque sabemos
que no estamos exentos
de encontrarlo de nuevo,
nos escondemos en nuestro caparazón;
así cuidamos el corazón.

Como un león

Algo me dice que preocuparme
está de más,
que me estoy consumiendo sin necesidad.
Quizá sea muy complicada esta situación,
pero yo aprendí a pelear como un león.
Algo me dice que pronto todo pasará,
que la vida
en cualquier momento cambiará.
Puede ser que no salga totalmente ileso,
pero llegará la hora de sanar.

Inquebrantable

Estoy aprendiendo
a controlar mis nervios
y he puesto mucho de mi parte.
Ahora comprendo
que el reloj ayuda bastante.
Me estoy amando
las veinticuatro horas del día
y no vivo más que mi presente.
Ya no me atemorizan
los malos recuerdos.
Qué bien se siente.
Estas ganas de salir triunfante
ante las adversidades de la vida
me han hecho el ser inquebrantable
que soy hoy en día.

Me estoy recuperando de ti

Le di gracias a Dios por ti
y juré no volver a buscarte.
Levanté cada una de mis partes
y poco a poco me volví a armar.
Todavía tengo desordenado el corazón,
pero anoche estaba peor.
Me estoy recuperando de ti,
sé que mañana estaré mejor.

Lo merezco

Desde hoy comenzaré
a hacer las cosas bien,
necesito sentirme importante
y dejar de rechazarme
por todo lo de ayer.
Me merezco muchas oportunidades
y poner fin a tantas trivialidades
que me han hecho perder el tiempo,
necesito dejar a un lado los lamentos
y sentirme bien de nuevo.
Es que después de vivir
con el corazón reventado
y el alma hecha trizas;
merezco regalarme
la mejor de las sonrisas.

Recuerda

Cuando tengas ganas de volver,
recuerda las noches
que te dejó esperando
y los abrazos que no estuvieron
cuando más los necesitabas.
Recuerda su indiferencia
y las mentiras disfrazadas.
Recuerda las veces
que decía que te amaba,
pero a tus espaldas te engañaba.
Recuerda tu promesa
de no volverle a creer.
Recuerda que te juraste
que estarías bien.

XXXVI

Cambió sus tacones y vestidos de noche
por ropa vieja para dormir.
Ya no le interesa salir.
Prefiere quedarse en casa,
tranquila, sola y feliz.

Inmarcesible

Todos hablan de ella,
la llevan de boca en boca,
pero es algo que, a estas alturas,
a ella ya no le importa.
Solo ella conoce su historia
y ahora vive de su presente,
así que, digan lo que digan,
nadie hará que se avergüence.
La pasó tan mal por un tiempo
que lo único que quiere
es disfrutar los buenos momentos.
Qué más da si la señalan,
total, la gente siempre habla.

Solitario

No me llevo bien con las personas vacías,
los periódicos ni las noticias.
Creo que ya estoy cansado
de este mundo superficial,
de la gente materialista.
Quizá por eso prefiero ser un solitario,
disfrutar a mi modo la vida.
A fin de cuentas, soy yo mismo
y muy pocos tienen esa dicha.

El show ha terminado

Aunque mi mundo
esté hecho un desastre,
aunque me sienta estropeado e inestable.
No debo acostumbrarme a llorar.
El *show* ha terminado,
es hora de continuar.

Paz

Después de lo que he vivido,
me he vuelto desconfiado,
muchas veces he perdido,
pocas he ganado.
Ya no preciso de palabras bonitas
para sentirme especial.
Agradezco a los que se quedan
y también a los que se van.
He perdido las ganas
de explicar lo que siento,
ya no expongo
con facilidad mis sentimientos.
Y es que dejaron
de importarme ciertas cosas,
esos comentarios que ayer me afectaban,
ahora me sobran.

Me necesito

Aunque se me desbarate la vida.
Aunque el dolor me haga trizas.
Aunque se derrumbe mi sonrisa.

No me pienso fallar.

Aunque el tiempo no me ayude
y tenga ganas de llorar.
Aunque no entienda lo que pasa
y no me espere nadie en casa.
Sé que puedo aguantar.

Porque me necesito.
Porque se aprende de lo vivido.
Y aunque hay golpes en el alma
que tardan en cicatrizar,
se pueden superar.

Bienvenida

Incontables veces me sentí tan solo
que terminé haciéndome amigo
de mi silencio.

El pasado ya no me hace daño
y no tengo en inventario
rencores ni miedos.

Y cuando noto que la tristeza
se aproxima,
no pierdo la cortesía,
con un beso y una sonrisa
le doy la bienvenida.

Caída libre

Desde hace un tiempo
vengo en caída libre,
manipulando mi tristeza
y remendando cicatrices.
Y mientras la destrucción
sigue haciendo de las suyas,
busco una alternativa
en medio de mil excusas.
Eso de equivocarme
no me ha salido nada barato,
lo estoy pagando bastante caro.
Pero esto es así,
no gano nada con preocuparme.
Tal vez hoy tenga que llorar un rato
y mañana volveré a levantarme.

Sin ataduras

Yo no le exijo a nadie
que se quede junto a mí.
Que se queden los que quieran
y cuando quieran también se pueden ir.
Me gusta ser claro,
no soy de los que suplican amor
ni de esos que,
por temor a quedarse solos,
se tragan lo que sienten.
No soy de los que viven infelices
y luego se arrepienten
por no atreverse a ser
un poquito valientes.

XXXVII

Ya no busca a nadie.
Alguna vez se enamoró a la ligera
y le fue muy mal.
Aprendió a tener paciencia;
si tiene que llegar, llegará.
Y si no, pues no pasa nada.
Hay café, libros y canciones.
**La soledad no es tan mala
cuando la conoces.**

Irremplazable

Porque los días se te van
y nunca más regresarán.
Porque mereces volar,
aunque te quieran frenar.
Porque lo vales.
Porque eres irremplazable.
Porque las equivocaciones de ayer
hoy te han hecho grande.
Por eso y más
te mereces otra oportunidad,
Anda, no lo pienses más.

Es el momento de ser feliz,
de vivir, de continuar.

Dile

Enfrenta lo que te está dañando.
Dile que necesitas espacio,
que te sientes cansado.
Dile que estás ocupado,
que no puedes atenderle,
que ya no te busque
y que le deseas suerte.

XXXVIII

Explorando sus labios
descubrí la manera de tocar
el
cielo.

Vivir

En un mundo tan podrido,
entregar el corazón es casi un suicidio.
Sin embargo, yo elijo correr el riesgo,
aunque muera en el intento.
No quisiera irme de aquí
sin saber lo que es vivir
por temor al sufrimiento.

Gente sin miedo a nada

Creo en esa gente
que es capaz de ver la belleza
a través de una mirada.

La que más que entregar un cuerpo,
entrega toda su alma.

Esa gente que regala sonrisas enteras,
aunque por dentro
se encuentre en pedazos.

Esa gente que ama con intensidad y,
a pesar de que han sido lastimadas,
crean nuevos comienzos
sin miedo a nada.

Cambio de estación

No es una lucha solo contra mí,
es una lucha también contra ti.

Contra todo lo que vivimos
y lo que alguna vez quisimos ser.

Contra nuestros sueños quebrados
y esas ganas inmensas
de ser uno en medio de tantos.

Es una lucha contra la vida
y su extraña forma de enseñarnos
que hay personas que no se quedan,
aunque no queramos aceptarlo.

Es una lucha contra esto
que me carcome el alma
y no puedo detener,
aunque quisiera…, no hay manera.

Me toca aceptar
y esperar que el tiempo
cambie de estación.

El invierno se ha alargado,
sin ti todo parece más frío,
más pesado.

Gracias por llamarme

Gracias por llamarme,
pero ya no necesito escucharte.
Me ha costado tanto superarte
y no quiero volver a caer.

Si supieras todo lo que he peleado
para no odiarte
                y dejar de preguntarme
                en qué fallé.

Gracias por llamarme,
pero no lo vuelvas a hacer.
Ahora estoy en paz conmigo
y no pienso retroceder.

Llora mi niña

Llora, mi niña,
la gente no siempre es sincera
y eso, aunque uno lo sepa,
no deja de doler.

Llora, mi niña, llora.
No dejes que tu alma se inunde
y la tristeza se acostumbre
a navegar en ti.

Llora todo lo que quieras,
hasta que te quedes seca.
Hasta que se consuma el dolor
en medio
de tus grietas.

Bailando con la nostalgia

Y no,
no tengo tiempo para llorar,
prefiero bailar con la nostalgia
y platicar con la soledad.
Ya vendrá alguien que me sepa querer,
acomodarnos con nuestras mañas
y manera de ser.
Que juntos luchemos
contra nuestras dudas
hasta ganar la batalla,
que renazcamos en un beso
cada mañana.

Alguien como tú

Me gustaría que encontraras
a alguien como tú
para que te veas
desde otra perspectiva,
porque te acostumbraste
a mirar lo bueno en los demás,
pero tú siempre te minimizas.

Me gustaría que encontraras
a alguien como tú
para que te des cuenta
de lo espectacular que eres,
para que veas lo que sucede
cuando sonríes y resplandeces.

Me gustaría que encontraras
a alguien como tú
para que entiendas el significado
de la poesía,
para que sientas un abrazo
de esos que tanto necesitas.

XXXIX

Hay personas
que se vuelven adictas
a la tristeza,
son esas mismas
que entregan todo
y cargan con torbellinos
en la cabeza.

Y las ves por ahí muy sonrientes,
pero se sienten diferentes.
Se esconden en el día
y lloran por las noches,
conversan con el insomnio
y batallan con sus demonios.
Tienen su espíritu lleno de espinas
y parecen frágiles a punto de caerse,
cuando en realidad
son las más sinceras y resistentes.

Aprendieron a nadar contra la corriente.

Lo imperceptible

Desde hace mucho
dejó de importarme lo superficial,
las etiquetas y la falsa moral.
Ya no me quitan el sueño las habladurías,
la envidia ni los desprecios
que pueda causar.
Ya no me interesan
las conversaciones vacías,
prefiero el murmullo de la soledad.
Ya no intento ser alguien que no soy
para ser calificado como el mejor.
No me importa lo pasajero,
elijo lo sincero,
lo imperceptible a los ojos,
lo sencillo y verdadero.

Nacimos para ser felices

Seamos francos,
ya no estamos para que nos quieran
de a ratos,
no estamos para quedar
en segundo plano;
estamos para ser prioridad
y para que nos amen de verdad.

Estamos para que nos tomen de la mano
y nos digan con toda sinceridad:
«Esto lo vamos a enfrentar juntos»;
no para que huyan
cada vez que se oscurece
nuestro mundo.

A veces somos de colores,
a veces nos volvemos grises
con un montón de cicatrices,
pero nacimos para ser felices.

Me fui

Y me fui,
me fui porque, aunque estaba a mi lado,
se volvió demasiado distante
y yo ya no quería sentirme insignificante.

Me fui porque se me acabaron los días
siendo un cobarde,
porque nada es lo que parece
y porque dicen por ahí
que lo que no te mata, te fortalece.

Y me fui a ser feliz
sin lamentarme de nada,
porque entendí que el amor
no es ciego.

**Se debe amar
con los ojos bien abiertos.**

Siento la necesidad

Siento la necesidad de ser yo,
de desprenderme de lo innecesario
y de todo lo que pesa.

Siento la necesidad
de escaparme conmigo
y de darme todas
las oportunidades del mundo.

De vivir cada segundo.

Siento la necesidad
de volverme a construir
y, de una vez por todas,
permitirme ser feliz.

Si me dejas amarte

Si me dejas amarte, te abrazaré tan fuerte
que desearás quedarte para siempre.
Te vestiré de poesía
y de incalculable alegría.
Seré el pretexto perfecto
para cumplir tus fantasías.

Si me dejas amarte,
me haré amigo
de tus defectos,
te cubriré
de infinitos besos.

Seré el guardián de tus sueños,
también tu hogar predilecto.
Seremos uno en medio de todos.

Seremos inviernos, seremos otoños.

Trata

Trata,
      trata
            y sigue tratando.

Trata de estar bien,
aunque el dolor te rebase.
No necesitas que nadie vaya a tu rescate.
Trata hasta que la tristeza se canse de ti,
hasta que el miedo se marche,
hasta que caigas en la cuenta
de que solo tú
puedes salvarte.

Gracias

He caminado en la cuerda floja
y por encima de las brasas.
He estado al borde del abismo,
pero he aprendido a dar las gracias.
Después de todo,
las heridas y el dolor me han redimido,
y cada una de mis cicatrices
me recuerdan que estoy vivo.

Valentía II

XL

Preguntaron por mi pasado:
les enseñé mi sonrisa.
Cuestionaron mis conquistas:
les mostré mis caídas.
Preguntaron quién soy:
les regalé mi poesía.

Llevo en mi espalda
cicatrices que un día dolieron
y hoy me sirven de guía
para conquistar mis sueños.

El amor no se obliga

Muy en el fondo,
yo sabía que no tenía la intención
de quererme,
lo presentía, pero igual me lancé
y le di todo lo que tenía.

No voy a negar que hubiera querido
que me quisiera,
pero sé que el amor no se obliga.

Al final, no se puede tener
todo en la vida,
hay que resignarse con sentir
esa adrenalina que solo el amor
nos brinda.

Eso ya es bastante
en este mundo sin vida.

Y ahora que ya no estás,
doy gracias porque estuviste,
porque ejerciste un buen papel
en eso que llaman "amor".

Lo sé, no fuimos hechos para ser eternos,
tampoco para comprendernos;
Fuimos hechos para ser historia,
Fuimos hechos para ser recuerdo.

No he dejado de quererte

Es verdad,
no he dejado ni un instante de amarte,
pero confío en que me encontraré
con esa noche
en la que ya no tendré
necesidad de recordarte.

Estoy poniendo demasiado de mi parte
y yo no sé cómo ni cuándo,
pero voy a superarte.

No me siento bien en este momento,
pero yo siempre supero todo:
mis conflictos,
mis demonios
y hasta los peores huracanes.

Eterno enamorado

Es probable que no sea
el mejor de los amantes,
a lo mejor soy un poco impredecible
y eufórico de vez en cuando.

No puedo negar
que suelo olvidar fechas importantes,
es que soy de los que aman
sin números en el calendario.

Me gusta besar con los ojos cerrados,
despacio y con los dedos entrelazados.
Y, aunque algunas veces soy un solitario,
probablemente estoy condenado
a ser un eterno enamorado.

No desesperes

No desesperes.

Quizá te parezca muy hiriente el tiempo.
Quizá creas que ya no podrás soportar,
pero cuando menos lo pienses,
el dolor se irá.
Y entonces te transformarás,
te sobrarán ganas de cumplir
tus objetivos.

Ya no extrañarás el pasado,
te llevarás mejor contigo.

Brindis

Ayer brindé por su amor,
por sus besos y por su adiós.
Hoy brindo por mí,
por mi necio corazón
y por mis ganas de seguir.
Hoy solo quiero vivir,
no hay tiempo para morir de amor.

Magia

El día que llegó a mi vida,
me conquistó sin tocarme,
entonces, supe que su mirada tenía magia.
Su mejor truco fue seducirme
sin pronunciar ninguna palabra.

XLI

Si decides irte,
que no se te olvide empacar tu dignidad.
Quizá la necesites,
si algún día piensas en regresar.

Nada distintos

Hay algo dentro de mí
que no me permite bajar los brazos,
es esa fuerza interna que,
en mis oleadas de desesperación,
me sostiene y me da valor.
Es esa luz que alumbra
mis sombras inquietantes,
que me hace ver que lo de antes
algo nuevo me enseñó.
Yo sé que tú y yo
no somos nada distintos,
que tenemos las mismas historias
en diferentes caminos.
Espero que, pase lo que pase,
tu luz nunca se apague.

Valentía II

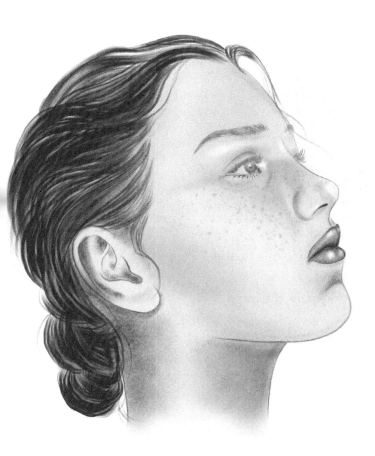

Amores pasajeros

Dicen por ahí que ya se olvidó de mí,
que su rostro ya no carga
esa pena que le di.

Dicen que todas las noches
baila con la luna,
esa misma que fue testigo
de lo mucho que le amé.

A decir verdad,
no ha cambiado lo que siento,
le sigo amando
como si no pasara el tiempo.

Hoy de nada sirve el arrepentimiento.
Perdí su amor sincero
por amores pasajeros.

Leyenda

Que me digan loco,
mendigo poeta,
absurdo soñador.
Que me llamen mentira,
enamorado sin razón,
tiempo perdido,
traicionero corazón.
Que me insulte la vida.
Que me haga pedazos.
Que me abandonen los amigos.
Que me abandone el amor.
Seguiré con mi historia,
escribiendo memorias,
convirtiéndome en leyenda
y en eterna canción.

Me es necesario

Me es necesario descansar
y ya no pensar en lo que pudo haber sido.
Me es necesario dejar de quererte
aunque sea un poquito,
apagar las luces y que ya no ocupes
ningún espacio en mi pecho.
Me es necesario creer en mí de nuevo.

Esos días

Todos tenemos esos días
en los que nos sentimos
un poquito vulnerables,
en los que no queremos
saber nada de nadie.

Sí, todos tenemos esos días
en los que de sorpresa
nos visitan algunos recuerdos,
pero en vez de cerrarles la puerta,
decidimos tomar café con ellos.

Esos días en los que necesitamos
escuchar nuestros latidos
y darnos cuenta de que,
a pesar del desastre,
aún estamos vivos.

Con gente o en soledad

Uno evoluciona y aprende
que no cualquiera merece
un espacio en nuestra vida.
Uno aprende a ponerse la coraza
para que no te destrocen
cuando se les da la gana.
Un paso en falso puede ser letal,
se aprende a caminar despacio,
con gente o en soledad.

Redención

Desde el fondo de su alma
emergieron las fuerzas necesarias
para construirse de nuevo.
Con la sonrisa deteriorada
y el corazón en dos,
se levantó de sus ruinas
y buscó su redención.

XLII

Sé que un día seré tan fuerte
que ya no me echaré a morir
por pequeñeces.

Sé que volveré a amar con tal intensidad
que se me olvidará que un día
me hicieron pedazos.

Sé que un día salvaré
a mi corazón de la bancarrota,
se convertirán en nuevas ilusiones
todas mis derrotas.

Invencible

Y cuando me preguntan «¿Cómo estás?»,
yo siempre les contesto que estoy bien,
que todo está perfecto,
aunque en realidad
me esté muriendo por dentro.

Es que prefiero que nadie se entere
de mis problemas,
total, yo siempre los soluciono
a mi manera.

Porque, aunque la vida
esté empeñada en lastimarme,
***rendirme todavía
no está en mis planes.***

Camina

Camina, aunque no conozcas la salida,
aunque te sientas cansada
y quieras darte por vencida.
Camina un poco,
aunque tengas el corazón roto
y el alma en pedazos,
aunque no entiendas nada
de lo que te está pasando.
Camina, aunque nadie te espere
y se esconda de ti la suerte,
aunque no te sientas querida,
aunque te dé la espalda la vida.

Camina.

Ya no

Ya no me desvelo pensando
qué será de mí mañana.
Ya no me aferro a esas tontas ganas
de amar a quien no le importa nada.
Ya no gasto mis emociones
tratando de encontrar explicaciones.
Ya no busco alivio en las personas,
prefiero las canciones.
Si me siento solo, me miro en el espejo.
Si me siento perdido,
hablo con mi silencio.
Si me siento cobarde,
alzo la mirada al cielo.
Si pierdo el equilibrio,
me levanto de nuevo.

Una dama

Una dama
no es la que tiene el cabello
más bonito,
no es la que usa
los mejores vestidos
ni la que finge
ser alguien que no es.

Una dama
no es la que cruza las piernas
para verse más fina,
es la que cruza tormentas
y no se da por vencida.

Una dama
es la que dice lo que siente
y no se arrepiente
de lo que un día fue.

Intervención divina

Me gustaría decirte
que en este momento
tengo la vida tranquila,
pero eso sería una total mentira.

Estoy pidiendo intervención divina.
Estoy en un tremendo caos,
intentando avanzar
y sincronizar mis pasos,
y cuando pienso que todo está bien,
me doy cuenta de que lo hice al revés.

Ya me ha pasado antes,
pero trato de no asustarme.

Hay una parte de mí que no se rinde.
Hay una parte de mí que me dice:
«resiste».

No es el fin

Se volvió codependiente de un amor
que le destruyó el corazón.
Hasta que un día ya no pudo más
y se fue con su dolor.
Tiene noches en las que
le dan ganas de regresar,
pero le está costando mucho recuperarse
y no quiere volver a lamentarse.
Se repite cada día que estará bien,
que sobrevivirá,
que no es el fin,
que todo pasará.

XLIII

Y es que uno también
se cansa de cargar tristezas
y de andar contando ovejas
por las noches.

Uno se cansa de llorar
y de ser un tonto más,
de creer que los demás
te vendrán a rescatar.

Te cansas de esperar
y de vivir de recuerdos,
y así decides ayudar al tiempo
dejando de ser un cobarde.

Solo así te das cuenta
de que esa felicidad
que tanto buscaste
nunca se fue de tu lado,
nunca estuvo en otra parte.

El amor llega sin avisar

Después de superar aquel caos,
ha pensado en no volverse a enamorar,
en nunca más volver a amar,
pero es que el amor llega sin avisar
y cuando toca la puerta,
es difícil no dejarlo pasar.

Lo que sí es verdad
es que ya no se ilusiona demasiado,
ahora camina con muchísimo cuidado.

Después de todo lo que ha pasado,
no quiere volver a entregarse en vano.

Despertarás

Tendrás noches
en las que los recuerdos feroces
te atacarán.

Tendrás momentos
en que todas las cosas irán mal.

Se te agotarán las ganas para seguir en pie
y pensarás que de nada sirve
tener tanta fe.

Y te sentirás cobarde,
llorarás por las madrugadas
esperando que las horas avancen.

Un día despertarás
y el reloj ya no bailará
al son de tu tristeza,
te perdonarás y brillarás
con más fuerza.

Alma en libertad

A veces fluyo y me alumbro
como un reflector,
pero también tengo días
en los que me eclipso
y me escondo en mi habitación.

A veces uso mi amargura
como barrera perimetral,
mas también sé usar mi sonrisa
como presentación estelar.

Hoy me puedes ver caminando,
mañana entre nubes volar.
Tengo el alma en completa libertad,
de esas que nadie puede encadenar.

Fui fuerte

Y fui fuerte por mí,
porque muchas veces me rompí
y nadie estuvo ahí para repararme.

Fui fuerte porque necesitaba abrazarme
y decirme que todo estaría bien.

Porque en esta vida
tenemos que aprender
que a veces nos toca ganar,
a veces nos toca perder.

Valentía II

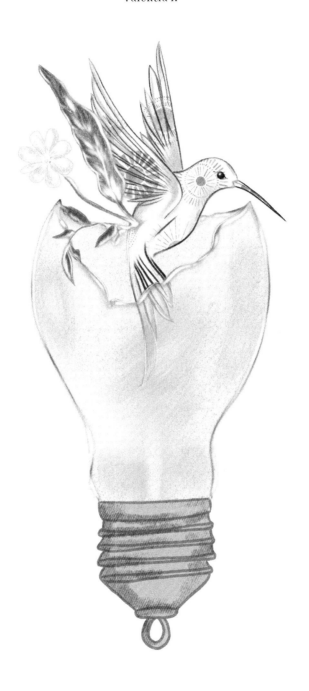

Sigo en la lucha

Nada me ha sido fácil.
He sido fuerte,
pero confieso que también
he sido frágil.

El dolor y la tristeza
me han acompañado
en muchas ocasiones
y el insomnio ha sido protagonista
de mis noches.

Y he llegado a sentirme tan cansado,
tan débil y desesperado
que quisiera bajar los brazos,
pero sigo en la lucha,
aunque me encuentre en pedazos.

Sigo en la lucha,
aunque sienta que la vida ha sido injusta,
aunque me golpee la depresión,
sé que todo pasa por una razón.
Sé que encontraré la solución.

Listos para continuar

Cuando el dolor se arraiga en el corazón,
nos volvemos inaccesibles,
nos arropamos con una inseguridad
indescriptible
y se nos hace casi imposible
dar un paso sin temor a caer.

Pero muy dentro de nosotros
sabemos que nos encontraremos
de nuevo con esos días felices
en los que nuestros fantasmas
guardarán silencio
y se irán.

Entonces, estaremos listos
para sonreír,
para continuar.

Ni misiles ni granadas

Con lo que viví
me construí unas inmensas alas,
por eso es que me ves tan tranquilo,
por eso es que siempre doy las gracias.

Estoy tan lleno de esperanza que,
aunque cayera en ruinas de nuevo,
sé que me levantaría
y volvería a tocar el cielo.

No tengo miedo de volver a comenzar.

**No hay misiles ni granadas
que puedan derribar
a alguien que ya conoció la oscuridad.**

XLIV

Me estoy haciendo cargo
del desorden que dejaste.

Yo merezco ser feliz.

Requisito indispensable

Ojalá que,
así como te llevas con los amigos,
aprendas a llevarte bien contigo,
que te olvides de los que
alguna vez te rompieron;
aquí los que perdieron fueron ellos.

Que cuando tengas ganas
de volver atrás, pongas el freno,
que nunca permitas
que te hagan sentir culpable
solo porque intentas amarte de nuevo.

Que tu sonrisa
sea ese requisito indispensable
que te haga levantarte
cada día con más fuerza.

Ojalá que nunca más
te encuentre la tristeza.

Un nuevo comienzo

Su corazón estuvo a punto de detenerse
y a aquella mujer
que siempre fue tan fuerte
se le olvidó que un día fue valiente.

Y lloraba y lloraba,
estaba cansada
de sentirse tan sola
y desarmada,
pero rendirse
no era ninguna opción.

No, esa no era la solución.

Así que se levantó
con las pocas fuerzas
que le quedaban
y dejó que la vida se encargara;
se perdonó
y se abrazó.

En medio de su silencio,
entendió que estaba lista
para un nuevo comienzo.

No es egoísmo

No es egoísmo olvidarse de los demás
para disfrutar de nuestro caos interno,
conocer esa libertad
que solo se encuentra
en el silencio.

No es egoísmo estar con uno mismo
y tomarse un café con las derrotas,
entender que no somos perfectos.

¿Reír o llorar?

Todo tiene su tiempo.
No es egoísmo pensar en uno mismo
y saldar las deudas pendientes;
también es necesario
reconciliarse con el presente.

Nuevas fuerzas

Yo me he quebrado totalmente,
pero también he sabido componerme.
Se me han acabado las fuerzas,
pero en medio de las pruebas
me he encontrado con unas nuevas.

Se me ha terminado la ilusión
cuando pienso que voy a triunfar,
he vivido en depresión
como si fuera mi estado natural.

Es por eso que no le temo
a lo que vendrá,
es por eso que a la vida
no le pongo resistencia:
yo me las arreglo como sea.

Perdonas y sueltas

Llegas a ese punto
en el que no te importa nada,
en el que no estás dispuesto
a cambiar tu tranquilidad
por algo pasajero,
en el que te vuelves más sincero,
en el que no permites que nadie
desordene tu estabilidad.

Es que después de estar
tanto tiempo en aquel abismo,
descubriste que te tienes a ti mismo.
Entonces, comienzas a vivir tu vida
y ya no te complicas;
llegas a ese punto
en el que no te afecta lo que piensan,
en el que perdonas y sueltas.

Tiempo al tiempo

Tengo que reconocer
que sigo pagando unos cuantos errores,
que todavía me acompañan
ciertos temores,
que ya no expongo tan fácilmente
mis sentimientos
y que a veces me golpean
algunos recuerdos.

Trato de mantener la calma
y le doy tiempo al tiempo,
porque las heridas en el alma
cierran a paso lento.

Corazón persistente

Desde ese día
en que le rompieron la vida,
dejó de ser la misma.

Antes no soportaba la soledad,
ahora la vive.

Antes le afectaba el murmullo
de los vecinos,
ahora solamente se ríe.

No es dueña de muchas cosas,
ni de castillos ni de joyas,
pero tiene un corazón persistente
y valentía de sobra.

XLV

Ahí me encontraba yo,
a puerta cerrada,
reconstruyéndome el alma
y las pocas ganas
que quedaban de levantarme
y continuar.

Es que yo creía
que los demás me amarían
como yo los amaba,
yo pensaba que aquellos
que me abrazaban
no eran los mismos
que apuñalaban.

Entonces,
le dije a mi corazón
que no se preocupara,
que se tranquilizara,
que ya habíamos ganado
peores batallas
y que esa…
esa no sería la excepción.

Anfitrión

Ya entendí
que no tengo que demostrarle
nada a nadie,
que algunos aman los viernes
y otros odian los martes;
que soy el anfitrión de mis aciertos,
pero también de mis errores;
que nunca seré suficiente
para alguien que busca
el amor en lo superficial.

Yo soy más que eso:
soy un montón de secretos,
soy calma y tempestad.

Renacer

Resurgirás desde lo más profundo,
se romperá tu capullo
y saldrás triunfante.
Volarás tan alto
que el pasado no podrá alcanzarte.
Serás tan feliz
como no lo fuiste antes.

Nadie

Nadie se salva de sentir dolor,
nadie se salva de sentir amor.
A unos les va bien; a otros, mejor.
A unos cuantos les da igual
y a otros tantos les va peor.
Al final te quedas con lo que vives;
lloras, pero también ríes;
te vas de bruces contra la pared,
pero siempre consigues estar bien.

La mejor medicina

Duele reconocer que aquel amor
que un día se enamoró
de todo lo que eras,
hoy te lo reproche
y te llene de tristeza.

No busques más razones tontas
para quedarte,
sabes muy bien
que tienes que marcharte.

No, no es nada fácil;
te va a doler hasta la vida.
Confía en el tiempo,
será tu mejor medicina.

Sin mirar atrás

Es deprimente
querer hacer las cosas bien
y que te salgan mal,
querer encontrar ese lugar
en donde nadie tenga ganas de juzgarte
y solo hallar palabras hirientes
que terminan destrozándote.

Quisieras huir de todo,
salir corriendo
para sentir el abrazo del viento,
construirte una nueva vida
y que pase ligero el tiempo.

Yo te entiendo,
a lo mejor en este preciso momento
no puedes hacerlo.

Mientras tanto,
sácale provecho a tus lágrimas y soledad,
quizás un día de estos
te llenas de fuerzas y te vas.

Sin pedir permiso, sin mirar atrás.

Acto de supervivencia

Puse mi corazón en un pedestal,
donde nadie lo pueda alcanzar.
Cuando nos hacen tanto daño
procuramos cuidarnos más de lo normal.
A los que amamos con el alma
nos cuesta más reconstruirnos,
nos volvemos más fríos
ante la más mínima muestra de cariño.
No dejamos entrar a cualquiera,
ser así es nuestro acto de supervivencia.

Valentía II

XLVI

Lo que ayer fuiste
se quedó en las sombras;
hoy eres otra, así que sonríe
porque los errores que ayer cometiste
solo forman parte de una historia.
Eso no define la mujer que eres ahora.

Aunque traten de opacarte,
de señalarte por tu pasado,
sonríe,
sonríe mucho, sonríe con orgullo
y no hagas caso a los fracasados.

Sonríe por todo lo que has logrado.

Reconciliación

Y se me llenó la vida
de puras cosas buenas
cuando dejé en libertad
lo que no valía la pena.

Cuando comencé a hablar sin rodeos
y enfrenté de una vez
a todos mis miedos.

Me volví sereno y distante,
no me interesa
darle explicaciones a nadie.

Y sí,
me he quedado
con muy pocos amigos,
pero he vuelto a hacer
las paces conmigo.

Razón suficiente

Esa noche me senté al borde de la cama,
no conseguía dormir
ni entender lo que me pasaba.

Mis ojos se humedecieron,
echaron de menos los buenos momentos.

Entonces, me abracé,
me abracé tan fuerte
que me sentí feliz de tenerme.

Esa fue razón suficiente
para no abandonarme,
para no detenerme.

Valentía II

Me he perdonado la vida

Ahora que lo he superado todo
veo las cosas de otro modo.
Ahora es diferente,
tengo el corazón más valiente
y el pasado ya no me duele.
Encontré la fe que creí perdida,
las noches se volvieron más tranquilas
y me he perdonado la vida.

Un nuevo amanecer

Llegas a casa, te vas a la cama
y conversas con tu almohada;
te das cuenta de que ya no le extrañas,
que ya no sientes nada.
Y te dejan de interesar ciertas cosas,
lo que antes te hacía falta,
hoy lo tienes de sobra.
Entonces, amanece
y no tienes oscuras las ojeras,
nada te entristece,
sobreviste a tu manera.

Querida amiga

No puedo hablar mal de ella,
es mi eterna confidente,
mi eterna compañera.
Cuando el teléfono no suena,
cuando los amigos se alejan,
ahí está ella.
Cuando me siento invisible
y hasta un poco inservible,
ella me encuentra.
Cuando llego a casa,
ella me abraza,
ella me besa.
Algunos le llaman soledad;
otros, melancolía.
Yo le llamo… querida amiga.

XLVII

Tenía muchísimo miedo,
creía que aquello nunca acabaría,
que mis plegarias jamás se escucharían.
Los días parecían más lentos,
mi esperanza se evaporaba
y cada vez tenía menos ganas.
Menos ganas de que mis ojos
permanecieran abiertos,
solo quería seguir durmiendo
y que al despertar todo fuera un sueño.

Todavía no consigo mi dirección
y me siento agotado.
Me siento abatido,
pero confío en que encontraré el camino.

Decides ser feliz

Al final te das cuenta
de que las decisiones son tuyas
y que no vale la pena
que tu dignidad se disminuya
por miedo al qué dirán.

Te das cuenta
de que ya hiciste lo que pudiste
y que no es justo que estés triste
por alguien a quien le das igual.

Decides ser valiente
y ya no te dejas pisotear;
aunque te duela el corazón,
aprendes a soltar.

Corazones resistentes

Tal vez te preguntes:
«¿Cómo voy a salir de esta?'».
Tienes un montón de incógnitas
y ninguna respuesta.

No sabes qué hacer con tanta rabia
y sientes que las ganas de pelear
se te acaban.

Saldrás de esta y de muchas más.
Corazones como el tuyo tienen
una interminable fuerza,
siempre se reinician,
siempre se renuevan.

Caminos nuevos

Después de ti me quedaron cicatrices
que todavía no he podido superar.
Muchos planes rotos por concretar
y recuerdos que siguen llenándome
de inseguridad.
Pero también me quedaron
caminos nuevos para continuar
y un firmamento inmenso para volar.

Te fuiste tú,
pero me quedé yo
y con eso basta para regresar al ruedo.

No te necesito para comenzar de nuevo.

Corre el tiempo

Corre el tiempo
y ya no me hace falta
tu abrazo por la madrugada,
ni pesa tanto tu ausencia
por la mañana.

Corre el tiempo
y yo me estoy sintiendo mejor.
Está más serena mi alma
y más tranquilo el corazón.

XLVIII

Ahora prefiero quedarme en silencio,
es mejor eso que perder la calma.
Cuando pones cada cosa en su lugar
te dejan de importar los dramas.
Y sí, puede que digan mucho de mí,
pero no es algo que me mueva el piso;
mientras ellos hablan,
yo me ocupo de lo mío.

Cuando llegas a estabilizarte,
pocas cosas te interesan;
lo que antes te preocupaba,
hoy ya no te estresa.

Te vuelves lo más importante
y dejas de acumular tristezas.

Guerrero imparable

A veces me guardo las cosas para mí
y tengo momentos
en los que quiero sacar de adentro
lo que siento.
Es que soy humano
y los humanos reímos,
lloramos, nos encendemos
y nos apagamos.

Sin embargo, yo soy alguien de fe,
es cierto que puedo llegar a ser
un cobarde,
pero también es cierto
que puedo ser un guerrero imparable.

Valentía II

XLIX

Lo realmente triste no es que te dejen,
sino que se queden,
aun sabiendo que no te quieren.

Transmutación

Cuando tienes el alma cansada,
las horas se hacen más largas.
Por un instante quisieras desistir,
no te quedan ganas de ser feliz,
no quieres saber de nadie,
el pánico parece interminable
y tu habitación se vuelve más grande.
No te preocupes,
**el dolor también
forma parte de tu evolución.**
Nunca pierdas la fe,
se aproxima lo mejor.

Aprendí

De la vida aprendí que las apariencias
solo son fachadas,
fachadas que muchas veces
ocultan lo podrido
 que se esconde en el alma.

Aprendí que no siempre te van a amar
de la misma manera que tú amas.

Que hay "amigos" que se evaporan
cuando la fiesta se acaba,
cuando se enamoran
o cuando de ti ya no queda nada.

También aprendí
que en una mirada
caben universos enteros,
que la poesía es medicina
y abrigo en el invierno.

Valentía II

L

Con el amor nunca me he llevado bien,
soy un poco complicado de querer.
Así es mi manera de ser,
tengo unos cuantos trastornos
y a veces me visita la amargura,
pero con lo poco
que me queda de cordura,
me sigo manteniendo en pie.

Agradecimientos

Han pasado casi tres años desde el primer tomo de valentía y en realidad han cambiado muchas cosas, pero lo que puedo decir que sigue intacto es mi agradecimiento y las ganas de seguir llevando mi mensaje a cada rinconcito del planeta.

Gracias, Dios, por hablar conmigo todas las noches y dictarme al oído esas palabras que están plasmadas en este libro.

Gracias a mi querida familia valiente alrededor del mundo, gracias por abrazarme, por ser ese pilar que me sostiene, gracias por leerme y llevarme en sus corazones siempre.

Gracias a mi mamita por esas oraciones que dan luz a mi vida en los momentos más oscuros, gracias por ser esa estrella que me guía en cada paso que doy.

Gracias, primita, por ser ese apoyo incondicional, por nunca soltarme de la mano, por seguir aquí, por amarme tanto.

Gracias nuevamente a Juliana, Kramer y al gran equipo de Venado Real por seguir acompañándome en este nuevo proyecto, ¡son increíbles!

Patricia, mi querida Pati, gracias por transformar mis letras en preciosas ilustraciones que traspasan lo tangible y tocan el alma, ¡te quiero!

¡Gracias, universo!

Índice

Made in the USA
Las Vegas, NV
09 November 2023

80495813R00111